UNE ARAIGNÉE SUR LE NEZ

Une nouvelle aventure de Philomène

Philippe Chauveau

UNE ARAIGNÉE SUR LE NEZ

Une nouvelle aventure de Philomène

Boréal

Maquette de couverture et illustrations :
Rémy Simard

Dépôt légal : 4e trimestre 1990
Bibliothèque nationale du Québec

Diffusion au Canada : Dimedia
Distribution en Europe : Les Éditions du Seuil

Données de catalogage avant publication (Canada)
Chauveau, Philippe, 1960-
Une araignée sur le nez
(Boréal Junior ; 7).
Pour les jeunes.
ISBN 2-89052-376-4

I. Titre. II. Collection.

PS8555.H38A72 1990
PS9555.H38A72 1990
PZ23.C52Ar 1990

À Laurent
et à Marie-Claude

1

La chasse aux papillons

En automne, les monarques
partent du Québec et
parcourent 4000 kilomètres
pour aller
hiverner au Mexique.

J'avais rendez-vous avec un papillon qui n'arrivait pas.

Les papillons sont un peu stupides. Ils se promènent à gauche et à droite. Ils n'ont pas de maison. Ils s'endorment là où la nuit les trouve. Ils ne s'inquiètent pas des rendez-vous.

Les papillons n'ont rien d'autre à faire que de butiner les fleurs qu'ils rencontrent. Sauf les monarques.

Les monarques sont de splendides papillons orange et noir.

Chaque année, à l'automne, ils entreprennent un long voyage pour passer l'hiver au Mexique. Ils font des milliers de kilomètres avec leurs ailes plus minces que du papier.

J'avais rendez-vous avec un monarque avant qu'il ne descende au Mexique.

Sauf que le monarque ne le savait pas.

Les araignées sont pires que tout et certaines encore plus que les autres.

Les araignées travaillent très fort pour tisser des toiles. Les papillons se prennent dedans et les araignées les dévorent.

C'est horrible!

Je déteste les araignées. Elles ont trop de pattes pour être honnêtes. Elles en ont quatre paires. Quand je vois une araignée j'ai des frissons partout. Je fais un détour.

Des fois, quand il y a une araignée dans ma chambre, j'aimerais bien l'écraser. Mais quand on écrase une araignée ça fait «crounch» et ça laisse des saletés partout.

C'est horrible!

Alors, je laisse l'araignée tranquille et je fais des cauchemars toute la nuit. Ou alors je ne dors pas. Même pas pour tout l'or du monde.

Si jamais une araignée me grimpait dessus, je m'évanouirais. C'est sûr.

J'étais assise dans une clairière des Cantons de l'Est à attendre mon monarque. Je ne bougeais pas du tout.

J'étais parfaitement immobile parce que les clairières sont pleines d'araignées. C'est bien connu. Les champs, les bois, les herbes sont couverts d'araignées.

Je ne bougeais pas pour ne pas attirer l'attention d'une araignée.

C'est alors qu'il est arrivé, mon monarque.

Il voletait paresseusement, de fleur en fleur, de souffle d'air en souffle d'air. Ses ailes s'ouvraient et se fermaient sans effort. Il rebondissait sur le vent.

Il était léger comme une idée, libre comme un rêve dans une salle de classe pendant un cours long et ennuyeux. Il se promenait sans se soucier de ce qui se passait autour de lui.

Il s'est approché. Il s'est posé sur une fleur à côté de moi. Il a ouvert ses ailes et ce fut comme si une nouvelle fleur venait d'éclore.

Alors, rapide comme l'éclair, j'ai abattu mon filet à papillons sur lui. Il était prisonnier.

Au même moment la forêt a craqué derrière moi. Quelqu'un m'a arraché mon filet des mains et j'ai reçu un grand coup sur la tête.

J'ai piqué du nez vers les herbes qui devaient être pleines d'araignées. Je me suis dit que ma vie ne tenait plus qu'à un fil ou, plutôt, qu'à un cheveu. À un des cheveux du directeur du journal pour lequel j'avais accepté de faire ce reportage.

Puis je ne me suis plus rien dit parce que tout était devenu noir. Je venais de m'évanouir, mais je n'étais plus en état de m'en rendre compte.

2

Un reportage au poil!

Il y a environ 100 000
cheveux sur un crâne.

Je déteste la campagne et les Cantons de l'Est. J'y vais le moins possible. C'est plein d'insectes.

J'ai décidé de devenir journaliste pour sauver le monde, pour faire le tour de la planète, pour changer les gouvernements et pour avoir ma photo en première page. Pas pour un malheureux cheveu.

Quand j'ai réussi à me faire engager par le journal *La Trompette*, après une histoire de robots, j'ai eu ma photo en première page. Je pensais que ça y était. J'allais enfin être reconnue d'utilité publique, un peu comme l'eau, l'ozone ou Albert Einstein.

Mais, depuis, je me retrouve à faire chaque semaine une page pour les jeunes. La semaine dernière, j'ai rédigé un reportage sur les jeunes qui font du deltaplane. La semaine d'avant, c'était sur l'alimentation des jeunes. Ce n'est pas comme ça que je reverrai ma photo en première page.

Tout a commencé il y a trois jours. Le rédacteur en chef de *La Trompette* m'a convoquée dans son bureau.

Le rédacteur en chef perd ses cheveux. Il lui en reste de chaque côté de la tête. Il lui en reste aussi quelques-uns sur le sommet du crâne. En cachette, on l'appelle tous le Chauve.

Le Chauve a une grosse tête large et un gros nez rond. Il a aussi un gros ventre qu'on ne voit jamais parce qu'il est toujours assis. Le Chauve est rond partout.

— Philomène, a-t-il dit, il me faut un reportage vécu sur la chasse aux insectes.

— La chasse aux insectes, le Chauv... euh... patron? Ça n'intéresse personne.

En entendant ma réponse, il a pris la tête de quelqu'un qui a obtenu une mauvaise note dans un cours.

— Philomène, tu es la responsable de la page des jeunes dans le journal. L'Insectarium de Montréal est ouvert depuis des mois. L'automne se termine et nous n'avons rien publié sur ce sujet.

Quand il est contrarié, le Chauve prend la tête de quelqu'un qui a obtenu des mauvaises notes dans tous ses cours, puis il commence à se gratter le crâne avec la main gauche.

Ça ne rate jamais!

Si la discussion dure trop longtemps, il se gratte de plus en plus fort. Après quelques minutes de ce traitement, ses cheveux abandonnent leur poste. Il y en a toujours un premier qui se détache de ce crâne gros et rose, et qui tombe doucement vers le plancher.

C'est horrible !

C'est encore plus horrible parce qu'il ne lui en reste presque plus. Tous les autres ont déjà abandonné le navire. Chaque fois, c'est comme si j'assistais à la disparition du dernier des Mohicans.

Moi, quand je suis contrariée, je crie, je proteste, je m'énerve et je finis par avoir l'air d'une folle. Mais j'ai encore tous mes cheveux.

Le Chauve a commencé à se gratter la tête, puis il a plongé sa main droite dans la montagne de papiers qui occupe toujours sa table.

Ça ne rate jamais !

— J'ai ici des lettres de lecteurs...

Il ne les trouve jamais, les lettres des lecteurs. Il me fait le coup chaque fois. Il fait le coup à tout le monde tout le temps.

D'ailleurs, personne ne trouverait rien dans cette montagne de papiers. Certains doivent être là depuis l'époque où le Chauve avait tous ses cheveux.

Ce n'est pas peu dire!

C'était avant ma naissance.

J'ai presque quatorze ans.

Je n'ai pas attendu qu'il ne trouve pas ses papiers pour enchaîner:

— Mais le Chau... euh... patron, vous savez bien que je déteste tout ce qui a plus de quatre pattes. Je serais capable de m'évanouir en voyant une araignée. Je n'ai qu'à entendre le mot insecte et mes cheveux se hérissent.

Il ne pouvait en dire autant. Je pensais qu'il serait sensible à cet argument.

Il n'a pas réagi comme je l'espérais. Au lieu de me proposer un autre reportage, il s'est mis à se gratter la tête plus fort.

Alors, pour ne pas être responsable de la mort d'un pauvre cheveu, j'ai dit oui et je suis partie chasser le papillon chez ma tante dans les Cantons de l'Est.

J'espère que tous les chauves de la planète sauront apprécier le geste.

3

Je ne suis pas menteuse

Les araignées ont huit pattes
et huit yeux.

Quand je me suis réveillée dans la clairière, j'avais mal à la tête et une bosse derrière l'oreille gauche.

Mon filet déchiré était par terre.

Qui aurait cru que la chasse aux papillons était quelque chose d'aussi dangereux? Il devrait y avoir des lois pour qu'on y porte un casque protecteur comme pour la bicyclette ou le saut en parachute.

Dans les herbes piétinées, il y avait aussi un tube en cuir noir. Je me suis penchée. Je l'ai ramassé. Je l'ai ouvert.

Il contenait une lentille d'appareil photo. Une énorme lentille. Elle faisait au moins vingt centimètres. Le photographe du journal en a des semblables et il ne veut pas qu'on y touche. Jamais.

Mon assaillant avait dû perdre cet étui. Je l'ai pris en guise de dédommagement et parce que je n'allais quand même pas le laisser bêtement dans l'herbe.

Je suis revenue chez ma tante bien décidée à tout oublier des papillons et de ce reportage. Je voulais bien sauver tous les cheveux de tous les chauves de toutes les planètes, mais pas au prix de recevoir des coups sur mes cheveux à moi.

Je ne savais pas encore que des araignées plus énormes et plus féroces que des crocodiles allaient se mettre en travers de mon chemin au cours des deux prochains jours. En fait, je ne valais pas mieux qu'un pauvre papillon coincé dans une toile et qui ne sait pas encore que l'araignée s'approche dans son dos.

Horrible !

Ma tante habite une vieille maison tout en bois avec un toit pointu, de grands balcons et des colonnes joliment travaillées.

À l'entendre, il s'agirait d'un chef-d'œuvre de l'époque victorienne. À mon avis, c'est surtout un vilain nid à bestioles. Chaque recoin de cette maison abrite plusieurs araignées. Sa maison n'est qu'un assemblage de recoins.

Si on multiplie le nombre de recoins par le nombre d'araignées et qu'on multiplie le tout par huit, on obtient un nombre effrayant de pattes d'araignée et on ne dort plus la nuit.

Ma fenêtre est couverte de toiles d'araignée avec, au milieu, de grosses araignées au gros ventre mou. Il y a toujours des araignées dans les fenêtres à la campagne.

La nuit, la lune fait briller les toiles et les araignées se découpent comme des morceaux de nuit qui dévorent les pauvres papillons.

Je ne dors plus de la nuit.

Si je reste encore longtemps dans cette maison, je vais avoir des cernes jusqu'aux genoux.

Ma tante a dit: « Tss tss. »

C'était mauvais signe.

Quand ma tante fait tss tss, on sait qu'elle n'est pas contente.

Ma tante est une dame âgée aux cheveux gris. Son jardin regorge de rosiers qui persistent à mourir parce qu'ils sont trop frileux pour vivre dans les Cantons de l'Est.

Malgré cela, ma tante replante sans cesse des rosiers parce qu'elle a ce qu'on appelle une passion.

Elle n'a pas eu d'enfants. Alors, elle les a remplacés par des rosiers. Elle croit que les enfants doivent être comme les rosiers : jolis et silencieux.

Je suis jolie. Je ne suis pas silencieuse. Alors, ma tante fait tss tss quand je lui raconte mes aventures.

— Tss tss... c'est encore une de tes histoires pour ne pas faire tes devoirs.

Elle ne prend pas mon métier de journaliste au sérieux. Elle appelle ça des devoirs. Je déteste qu'on ne me prenne pas au sérieux. Mais quand ma tante fait tss tss, il vaut mieux ne rien dire. Je le sais : j'ai déjà essayé. D'ailleurs, ma tante ne prend que ses roses au sérieux.

Heureusement, il y avait aussi Robert dans la maison victorienne pleine d'araignées. Robert est un vieux maigre à casquette, sans dents.

Ma tante, qui aime beaucoup Robert même s'il n'est pas une rose, a déjà dit qu'il parlait lentement. C'est faux.

Quand Robert parle, la terre arrête de tourner. Les plantes arrêtent de pousser, les oiseaux de voler. Lorsqu'il a fini de parler, tout le monde se réveille un peu plus âgé.

Il a regardé l'objectif de la caméra. Il a attendu un siècle ou deux. Puis il a commencé :

— Je vois...

Pendant qu'il reprenait son souffle, j'ai regardé dehors et au moins six rosiers donnaient déjà des signes inquiétants de faiblesse. Juré !

— Cet appareil...

Les six rosiers avaient perdu leurs feuilles. Les autres étaient mal en point.

Je résume la suite sinon nous serons encore là en l'an 2000.

— Cet appareil doit appartenir au jeune Cambodgien. C'est un jeune un peu sauvage qui ne parle jamais à personne. Il passe son temps à photographier on ne sait quoi. Sa famille a emménagé dans la maison neuve du village le printemps dernier.

Quand il a eu fini de parler, j'ai rajusté ma montre.

Ma tante a fait tss tss pour bien nous indiquer ce qu'elle en pensait puis elle a voulu me faire un sermon.

Ça ne rate jamais!

Elle me fait le coup chaque fois.

— Philomène, si tu te laisses dépasser par les premiers obstacles, tu n'iras jamais nulle part dans la vie. Et raconter des histoires ne réglera jamais rien. Je sais que tu es jeune, mais il n'est jamais trop tôt pour commencer à bien faire. Ta mère n'aimerait pas que je te laisse devenir paresseuse. Tu vas retourner là-bas et faire ce qu'il faut pour terminer ton devoir. Je n'accepterai aucune excuse. Tss tss...

Les adultes, ils sont plus grands que nous et ça suffit. Ils se voient supérieurs. Il n'y a rien à faire. Il faut seulement les endurer et attendre. Attendre de grandir pour les dépasser.

Ça ne devrait pas être très long avec ma tante. Elle est aussi minuscule que Robert parle lentement. Je bois plein de lait pour la rattraper le plus vite possible.

Ma tante prend la peine de faire tss tss et de m'expliquer le monde parce qu'elle m'aime bien. Mais elle ne sait pas comment le dire. Elle ne sait parler qu'à ses roses. Si elle ne se retenait pas, elle m'aspergerait d'engrais pour me dire qu'elle m'aime.

Comme je n'aime pas l'engrais, je dois rester là à me faire sermonner par amour et à recevoir des camions entiers de tendres tss tss.

Il faut les comprendre, les adultes. Ils sont si sensibles. Ils ne savent pas comment s'y prendre.

Ce n'est pas simple.

Avec les adultes, c'est encore pire.

Il faut avoir le moral.

Puisque je n'avais pas le choix, je me suis lancée à la poursuite de mon assaillant.

Je peux comprendre les camions de tss tss. Mais il y a une chose que je ne suis pas capable d'accepter, c'est qu'on ne me croie pas. Je ne suis pas une menteuse. C'est important pour une journaliste qu'on la prenne au sérieux. Primordial.

J'ai décidé de lui prouver que j'avais raison.

J'allais retrouver cet assaillant. J'allais le ramener pieds et poings liés à ma tante. J'allais lui faire avouer un réseau international d'agresseurs de chasseurs de papillons.

J'allais avoir ma photo en première page.

Ma tante allait comprendre que je n'étais pas une menteuse. Elle n'aurait plus besoin de faire tss tss pour qu'on s'aime.

Et même les rosiers arrêteraient de mourir quand Robert parlerait.

Bref, je me suis enfoncée dans les bois avec le moral et des illusions grands comme ça.

4

Deuxième rencontre

Les pattes des araignées
sont enduites d'une huile
qui leur permet de ne pas
se prendre à leur propre toile.

Le bandit retourne toujours sur les lieux de son crime. Surtout lorsqu'il y a perdu une lentille de grande valeur.

Je suis retournée à la clairière. Quelqu'un était là qui fouillait dans les herbes.

C'était un tout jeune et tout petit Asiatique. Au moins une tête de moins que moi. Il avait de grands yeux sombres et un paquet d'appareils photo suspendus aux épaules.

S'il s'agissait bien de mon assaillant, c'était un tout petit assaillant. C'était bien mieux qu'un grand, qu'un énorme assaillant. Ça simplifiait les choses: j'avais moins peur.

Je me suis avancée dans la clairière.

Il a eu l'air surpris de me voir. Il s'est redressé et il n'a plus bougé. Ses yeux se sont arrêtés un instant sur l'objectif que je tenais.

— C'est ça que tu cherches?

Il n'a pas répondu. Il n'a pas bougé.

— Celui qui m'a attaquée l'a perdu ici.

Toujours aucune réaction. Nous n'allions quand même pas rester là à nous regarder jusqu'à la fin des temps? Il n'avait pas trop l'air méchant. Il pouvait même avoir l'air sympathique.

S'il ne se décidait pas à parler, je me demandais ce que j'allais bien pouvoir faire. Est-ce que j'allais l'engueuler, lui crier des bêtises? Qu'est-ce que ça me donnerait après? Est-ce que je devais le battre pour me venger? Après tout, il était plus petit que moi.

Nous étions encore face à face. J'ai décidé d'user de mon charme et de ma persuasion. Je ne suis pas une batailleuse.

— Écoute, tu as l'air gentil. Je ne t'en veux pas. Pas trop. Mais il faut que tu viennes tout expliquer à ma tante pour qu'elle croie que je suis journaliste et qu'elle arrête de me faire des tss tss parce qu'elle ne peut pas m'arroser d'engrais.

Je me suis tue parce que je devais avoir l'air d'une vraie folle.

Il était si petit, si timide et mal pris dans cette clairière avec son air d'avoir les deux pieds dans la même bottine. Brusquement, il m'a fait penser à un petit papillon en difficulté. Je ne voulais pas passer pour une moche grosse araignée dévoreuse de petits papillons qui ont les deux pieds dans la même bottine.

J'ai décidé de tout oublier. Surtout que je ne suis pas moche.

Je lui ai tendu l'étui. Il l'a saisi avec rapidité.

Je lui ai fait mon plus grand sourire en lui disant :

— Ami-ami ?

Il m'a encore regardée avec ses grands yeux sombres et il a dit :

— Ze...ze...

Il ne manquait plus que ça : il zozotait. Un petit papillon zozoteur. Il avait un cheveu sur la langue. J'étais poursuivie par des cheveux qui n'étaient pas à leur place sur leurs crânes respectifs.

J'ai une copine à l'école qui zozote. Elle ne sait pas dire « chat ». Pour l'aider, la maîtresse le lui fait répéter devant toute la classe. Elle bredouille : sssa, sssa... puis elle devient toute rouge et c'est comme si elle allait pleurer.

Horrible !

La maîtresse la fait travailler pour la même raison que ma tante fait tss tss. Par amour. L'amour, c'est comme les cheveux, ils ne sont pas à leur place respective ces temps-ci. Rien n'est simple. Il faut avoir le moral.

Pendant que je réfléchissais ainsi au sens de la vie, mon papillon a porté la main à sa bouche et il en a retiré un grand cheveu.

Zut ! C'était un vrai cheveu qu'il avait sur la langue. Un cheveu grand comme ça ! Il a alors dit sans zozoter :

— Je n'aime pas qu'on fasse mal aux papillons.

Puis, à toute vitesse, il s'est retourné et il a disparu dans les bois.

À force de prendre en pitié les jeunes assaillants de chasseurs de papillons et les chauves du monde entier, je me suis retrouvée toute seule, sans filet, sans reportage, dans une clairière pleine d'insectes.

Je me sentais stupide et toutes les araignées de la clairière devaient me regarder avec leurs yeux pleins de centaines de facettes qui rigolaient.

Alors, j'ai entendu un grand cri.

5

Il y a exagération

Au repos, les ailes
des papillons de nuit sont
déployées le long
de leur corps.

Ça venait de là où était parti Machin. Je dis Machin parce qu'il ne m'avait pas encore dit son nom.

Il ne m'avait pas non plus dit merci pour sa lentille. Je suis quand même allée voir. Je suis trop bonne. Je le sais.

Quelques centaines de mètres plus loin, j'ai trouvé par terre l'étui de cuir contenant l'objectif.

Personne aux alentours.

S'il passait tout son temps à le perdre, il ne fallait pas qu'il compte éternellement sur moi pour le ramasser. J'ai autre chose à faire dans la vie.

Un peu plus loin passait une route. Un gros camion carré noir y était stationné.

Toujours aucune trace de Machin.

Il n'y avait qu'un petit homme maigre. Très maigre avec des cheveux gris. Il se promenait avec un filet à papillons.

Je suis allée le voir.

— Excusez-moi. Vous n'auriez pas vu passer un jeune garçon plus petit que moi avec des appareils photo?

Il s'est retourné. Sa voix était aussi grise que ses cheveux et elle grinçait.

— Pardon? Ah.... bonjour... vous disiez?

Il avait l'air de tomber de la Lune ou d'une de ces planètes éloignées où on ne sait pas trop ce qui se passe sur la Terre.

— Je me demandais si vous n'aviez pas vu passer un jeune garçon à peu près haut comme ça?

— Moi... un jeune homme... non. Pourquoi?

— Est-ce que vous avez entendu le cri?

— Le cri? Quel cri?

— Quelqu'un a crié il n'y a pas une minute. Ça venait de ce coin-ci, vous n'avez pas pu le manquer.

— Excusez-moi, je complétais ma collection et j'ai peur d'avoir été distrait. Je me présente: professeur Tournebroche. Vous chassez les papillons?

— Vous tombez mal. J'ai déchiré mon filet ce matin et j'ai abandonné le métier. C'est trop dangereux.

— Déchiré? Oh... comme c'est dommage... Voyez-vous, je pose la question parce que je suis continuellement à la recherche de nouveaux spécimens pour compléter ma collection.

Il a réfléchi un instant.

— Ça peut peut-être s'arranger. Tenez ! Je vous donne le mien. Oui, oui, j'en ai plusieurs autres à la maison et ça me fait plaisir d'encourager une jeune à faire des découvertes.

On m'a toujours dit de me méfier des gens qui distribuent des bonbons. On ne m'a jamais parlé de ceux qui distribuent des filets à papillons. On aurait dû.

Cette journée prenait une tournure étrange. On me déchirait mon filet. On m'en donnait un autre. Cette espèce de professeur Tournebroche de bande dessinée qui n'entendait pas de cris. Mon agresseur de chasseurs de papillons qui disparaissait en laissant traîner ses lentilles...

Tout ça commençait à tourner un peu vite dans ma tête. Mon flair de journaliste trouvait ça étrange. J'ai décidé d'enquêter.

J'ai crié:

— Oh, le beau papillon... Là, il a disparu derrière le camion! J'y vais.

Je lui ai pris son filet et j'ai couru derrière le camion. J'ai sauté sur le marchepied.

Il n'y a jamais eu plus de papillons derrière ce camion que de rosiers centenaires chez ma tante.

J'ai regardé par une des vitres des portes arrière du camion. Il y a toujours des araignées sur les vitres. Mais là, il y avait exagération.

Celle qui avait attaché Machin dans ce filet devait être énorme.

J'aurais dû me servir de ma tête pour prévoir la suite. Mais, à défaut de réfléchir, ma tête pouvait encore servir à recevoir un coup.

Oui, oui, un nouveau coup.

Qui aurait cru qu'il était aussi dangereux de se promener dans ces bois? On n'a pas écrit *Le Petit Chaperon rouge* pour rien. On l'a écrit parce qu'il y avait exagération.

Le monde est devenu noir comme le camion.

6

Horrible !

Il existe 10 000 espèces
de papillons
en Amérique du Nord.

C'était encore tout noir mais le nez me chatouillait. J'avais mal à la tête et je me sentais trop faible pour amener une de mes mains jusqu'à mon nez pour le gratter.

Alors j'ai ouvert les yeux et je me suis retrouvée nez à nez avec des centaines de petits yeux minuscules. Des centaines d'yeux pour un seul corps.

Des centaines de petits yeux minuscules sur un seul corps d'araignée qui me chatouillait le nez avec ses quatre paires de pattes velues.

J'avais une araignée sur le nez.

Horrible !

Je me suis dit: «Philomène, ne bouge pas, elle est peut-être venimeuse. Si tu bouges, elle va piquer. Reste calme.»

J'avais vu ça dans des centaines de films: quand un scorpion venimeux vous grimpe sur la jambe, il faut rester calme et immobile jusqu'à ce que le héros vienne vous sauver. Il faut surtout ne pas bouger, ne pas dire un mot.

J'ai fermé les yeux. J'ai pris une grande inspiration et j'ai hurlé comme une folle.

Je ne suis pas une héroïne de film stupide et il n'y avait pas de héros pour me sauver.

D'ailleurs, le monde en général manque de héros pour sauver les jeunes journalistes en péril.

J'ai sauté plus haut que le record olympique.

Je me suis frotté le visage à en effacer le nez.

J'ai regardé. Il n'y avait plus personne au bout de mon nez.

J'ai repris mon souffle. Je venais d'échapper à un danger pire que la troisième guerre mondiale. Il y en a qui ont peur des chats noirs, d'autres qui ont peur du noir tout court et même d'autres qui ont peur de marcher sur les lignes du trottoir. J'avais bien le droit d'avoir peur des araignées. Ceux qui ont déjà eu une araignée sur le nez comprendront.

J'observais la pièce. Elle était nue, vide, blanche. Bref, c'était une pièce ordinaire. Il n'y avait là que Machin qui se demandait si j'étais encore plus folle que tout à l'heure.

Je déteste avoir une araignée sur le nez. Je déteste qu'on me voie avoir peur d'une araignée sur le nez. Je déteste qu'on me cogne sur la tête. Je déteste qu'on me prenne pour une folle.

J'étais de mauvaise humeur.

Je déteste être de mauvaise humeur. Ça me met en colère.

Il fallait que je me défoule.

J'ai fait tss tss. Je me suis gratté la tête avec la main gauche comme faisait le Chauve. Ça n'a pas réussi à me détendre.

Alors, j'ai fait trois fois le tour de la pièce en hurlant.

Ça allait déjà mieux. Tant qu'à passer pour une folle, autant être une folle détendue.

Je pouvais maintenant m'occuper de ce qui se passait autour de moi. J'avais été enlevée. Par qui? Par une espèce de professeur qui n'avait pas l'air de vouloir faire de mal à une mouche. Seulement aux papillons.

Ça devenait presque une habitude. Je m'étais déjà fait enlever lors de mon dernier reportage sérieux. Je ne m'en portais pas plus mal. Il suffisait de garder la tête froide. Pour ça, pas de problème, pourvu qu'on arrête de m'attaquer à grands coups d'araignée sur le nez. Sinon je ne réponds plus de rien.

La première chose à faire, c'était de me débarrasser de cette petite boîte noire qui était attachée sur mon épaule. Machin en avait une pareille sur la sienne.

J'ai tiré dessus, j'ai essayé de l'arracher, de la mordre. Rien à faire. Elle était bien fixée sur mon épaule gauche par des sangles qui m'entouraient l'épaule et la poitrine. Ça ressemblait un peu à ce que les gangsters utilisent dans les films pour porter leur revolver sous le bras gauche. Un petit cadenas m'empêchait de détacher ce harnais.

Je me demandais à quoi cela pouvait servir. Ça ne servait sûrement à rien de gentil parce qu'on n'assomme pas une jeune et jolie passante comme moi pour des motifs gentils. Mais quels que soient les motifs, ça n'expliquait pas la boîte qui, pour le moment, ne servait qu'à me faire réfléchir.

Machin ne disait rien. Ça devenait un tic chez lui.

Je l'aurais bien engueulé, écrabouillé, martyrisé, aplati à l'aide d'un bulldozer.

J'ai fait quelques pas dans sa direction et je lui ai souri. J'avais besoin de son aide pour sortir d'ici, mais il ne perdait rien pour attendre.

— Moi, c'est Philomène. Je suis journaliste et j'étais ici pour un reportage.

J'espérais bien l'impressionner un peu. Les journalistes impressionnent les gens parce que ceux-ci espèrent qu'on parlera d'eux.

Il a été tellement impressionné qu'il n'a pas répondu.

— Pourquoi m'as-tu attaquée ce matin?

Il me regardait en souriant. Il choisissait mal le moment pour me taper sur les nerfs. Quand je parle, j'aime bien qu'on m'écoute et qu'on me réponde.

— Hé ! Machin ! Si on doit passer quelque temps ensemble, j'aimerais bien savoir si je dois parler à un mur. On est deux maintenant dans cette histoire et, je ne sais pas si tu as remarqué, mais ça va mal. Si on veut s'en sortir, il va falloir que tu fasses ta part. Je veux bien oublier toutes les bêtises que tu as faites avant, mais quand je te parle, j'aimerais bien que tu m'écoutes et que tu me répondes.

N'importe qui, et même n'importe quoi, dans la même situation, sous le même bombardement de paroles, aurait capitulé depuis longtemps.

Il a finalement parlé d'une petite voix gênée :

— Je l'ai fait parce que je pensais que tu tuais des papillons pour Tournebroche.

Il s'est arrêté. J'ai attendu encore un peu mais il n'avait plus rien à dire. Pas très bavard, Machin. Puis, contre toute attente, il a repris la parole.

— Je n'aime pas qu'on tue les papillons.

— Mais c'était pour mon reportage!

Avant même d'avoir fini ma phrase, j'en ai eu honte parce que je savais ce qu'il allait penser: qu'un papillon valait cent fois mieux qu'un reportage. Peut-être, mais il fallait bien que je fasse mon travail. Personnellement, je n'ai jamais rien eu contre les papillons même si je les trouve stupides. S'il fallait que je m'occupe de tous les insectes en plus de tous les chauves... Je n'aurais jamais plus ma photo en première page parce que personne ne pourrait me voir derrière tous les cheveux et tous les papillons que j'aurais sauvés.

Et même si j'étais un peu de son avis, je n'allais pas le lui dire. Il ne faut jamais être du même avis que les personnes qui vous tapent sur la tête. Elles pourraient croire qu'elles ont le droit de recommencer ou ça pourrait donner des idées à d'autres personnes. Je sais de quoi je parle : ça vient de m'arriver.

On ne se parlait plus. On avait l'air de deux imbéciles incapables de s'expliquer ce qui n'allait pas. La terre aurait pu s'ouvrir sous nos pas qu'on se serait boudés encore parce qu'il y avait ce papillon entre nous.

En y regardant bien, il y avait aussi plusieurs choses qui grouillaient sur le plancher entre lui et moi. Des araignées ! Mon nez a recommencé à me chatouiller.

Machin a doucement tendu la main vers le plancher. Quand il l'a relevée, il y avait quelque chose qui s'y tenait.

Il n'avait pas peur. Je me suis approchée.

Il regardait, attentivement, une araignée. Je me suis discrètement exprimée sur la chose.

— Yarch ! Tu es fou? C'est une araignée. Jette ça, vite. Tu vas te faire piquer.

Il n'avait pas l'air de s'en faire. Ils avaient même l'air bons copains. Elle se promenait tranquillement sur son bras.

J'en avais la chair de poule.

— Si on reste calme, les araignées ne piquent jamais. Cela n'arrive que si on leur fait peur. Où je suis né, les araignées sont grandes comme des assiettes; celle-ci est à peine un bébé. Regarde : elle a des pattes immenses. Elles sont toutes fines et tellement adroites. Ce sont de véritables artistes. Elles font des toiles phénoménales, parfaites et solides. Et, en plus, elles sont terriblement utiles. C'est idiot d'avoir peur des araignées.

Merci pour moi. Il y a cinq minutes, il n'ouvrait pas la bouche. Maintenant, il n'y avait plus moyen de le faire taire. Les papillons, les araignées, les bestioles, c'était son truc à lui. Comme les roses pour ma tante. Une question de vocation.

S'il ressemblait à ma tante, il devait mieux se débrouiller avec les insectes qu'avec les humains en général.

J'étais pour la première fois en compétition avec une araignée. Ma fierté en prenait un coup. Non seulement il me tapait sur la tête, mais il commençait à me taper sur les nerfs. J'avais l'impression de me faire insulter. Je me suis dit que c'était idiot d'être jalouse d'une araignée aussi minuscule, mais j'aimais mieux être idiote qu'être moins qu'une araignée. Je lui ai dit:

— Je déteste les araignées, elles sont moches, sales et les papillons sont idiots.

Il m'a regardée puis il s'est refermé comme une huître. Il a retrouvé le même sourire ne voulant rien dire qu'il avait avant de commencer à parler de ses bestioles adorées. Il était redevenu muet.

J'ai compris qu'il ne fallait pas que je sois trop jalouse de cette araignée parce que je ne pouvais pas me permettre de perdre son aide et peut-être son amitié. Dans la vie, on ne peut pas toujours faire ce qu'on préfère. J'ai repris la discussion sur son sujet favori.

— Tu as l'air d'aimer drôlement les insectes.

— Ils sont merveilleux. Ils sont... indescriptibles. Il y en a tellement et ils sont tous merveilleusement... fantastiques.

Sa voix a pris une intonation plus douce.

— Le papillon que tu allais tuer était libre. Incroyablement libre. Sans maison, sans objets. Il se contentait de vivre sur ses ailes fragiles. Pour moi, les papillons sont le symbole de la légèreté et de la liberté. Si les gens aimaient plus les insectes, il y aurait plus d'amour sur la terre. Avec tout le mal qu'il y a, nous avons besoin de tous les papillons du monde.

Voilà qu'on mêlait l'amour et les papillons. Je ne lui ai pas dit ce que je pensais parce que je ne voulais pas le froisser encore, mais je n'en pensais pas moins.

— Tu devrais voir ma collection de photos de papillons... tu aimerais ça.

Et comment ! Il venait de me remettre en mémoire mon reportage. Avec ses photos et une bonne entrevue, je sauvais les cheveux du Chauve et mon emploi par la même occasion. J'étais tout à fait d'accord avec la liberté si elle me donnait la possibilité de ne pas retourner dans une clairière pleine d'insectes à attendre un papillon qui voulait aller au Mexique.

Je voyais déjà le titre : Le papillon : un symbole de liberté. Il assomme la journaliste mais elle continue son travail au péril de sa vie.

C'était une idée superbe, ce reportage. Mais il fallait d'abord sortir d'ici. Je me suis soudainement sentie trop petite et trop jeune pour tout ça. Est-ce que nous allions jamais quitter cette pièce? Est-ce que j'allais avoir la chance d'écrire un autre article? Ça se présentait plutôt mal. En fait, ça se présentait plutôt sous la forme d'une photo en première page avec le titre: Disparue : ses parents sont inconsolables et son directeur s'arrache les cheveux. À côté de moi, il y avait aussi la photo de

Machin, mais lui au moins il avait couru après.

Quelque chose de salé a glissé sur mon visage. Je pleurais. J'aurais voulu retourner chez moi, dans ma chambre tranquille. J'étais même prête à retourner chez ma tante pour me faire dire des tss tss à n'en plus finir. J'en avais marre des insectes, des aventures, de la chasse aux papillons, des chevelus et des chauves et des défenseurs des droits des papillons qui se permettaient de mettre mes droits à moi en jeu.

Je n'avais plus le moral. J'en avais le droit après tout ce qui m'était arrivé. On a beau être une journaliste professionnelle, on est humaine quand même.

Les chenilles se transforment en papillons qui peuvent s'envoler partout. Pour ça, elles se fabriquent un cocon. C'est de ça dont j'avais besoin. Un petit cocon protecteur pour moi toute seule et — qui sait? — je pourrais peut-être m'envoler où je voudrais ensuite?

Si les papillons sont le symbole de la liberté, les journalistes aussi : le symbole de la liberté de la presse. Et ça aussi, c'est important.

Il est venu près de moi. Il s'est assis. Sans bouger. Il ne savait pas quoi faire. Il manquait de pratique avec les humains. Mais c'était agréable d'avoir quelqu'un à côté de soi. Quelqu'un qui n'en voulait qu'aux filets qui empêchent les papillons d'être libres. D'accord, il m'avait aussi tapée sur la tête, mais la bosse était déjà si petite que ça ne valait plus la peine d'en parler.

J'ai sursauté.

— L'araignée! Elle est encore sur toi?

— Non, non, je l'ai déposée. N'aie pas peur.

J'ai poussé un soupir de soulagement. Je me suis réinstallée à côté de lui. J'ai posé ma tête sur son épaule.

C'était à son tour de sursauter. Il a même eu un petit geste de recul.

Grand timide.

On est capable de prendre une araignée dans ses mains et on n'est même pas capable d'avoir une fille sur son épaule. Ça faisait du bien d'être plus intimidante qu'une araignée. Il est finalement resté et je me suis installée confortablement.

Notre situation n'était pas meilleure mais je me sentais un peu mieux. J'étais un peu comme dans un cocon à côté de lui. Je me sentais rassurée.

— Qui est Tournesol?

— Tu veux dire Tournebroche? Tout ce que je sais, c'est qu'il paie les jeunes du village pour attraper des papillons. Il a aussi installé des pièges un peu partout. Je n'aime pas qu'on fasse mal aux papillons.

J'avais une bosse bien placée pour le savoir.

— La nuit, je détruis ses pièges, je fais peur aux autres enfants. Je dégonfle ses pneus. J'imagine que c'est pour ça qu'il m'a capturé.

J'étais tombée sur un amoureux fou des papillons en pleine guerre avec un professeur Tournebroche exterminateur. Il n'y a qu'à moi que ça arrive.

À ce moment précis, Tournebroche est entré dans la pièce.

7

Pris dans la toile

Les araignées empoisonnent
leurs proies à l'aide
de deux puissants crochets
appelés chélicères.

— Alors, les petits papillons? On butine?

J'aurais trouvé ça amusant si je n'avais pas été terrorisée. Sur l'épaule, il avait une araignée grosse comme un zéro écrit au crayon feutre rouge sur un travail et noire comme le regard de Machin.

Je me suis dit : «Allez, ksss ksss, mords-le!»

Il s'est approché à petits pas tranquilles, aussi détendu que s'il faisait son magasinage. Je n'avais jamais vu une aussi grosse araignée. D'ailleurs, ça ne devait pas être une araignée, c'était sûrement un monstre préhistorique ou une espèce de mécanique spéciale qu'on avait fabriquée pour un film d'horreur.

Plus il avançait, plus ma gorge se nouait. Il a pris l'araignée dans sa main. Elle était énorme. Toute noire avec des longues pattes et un point rouge sur le ventre.

— Sybille, ma veuve noire, et moi, nous vous souhaitons la bienvenue.

C'était probablement de l'humour. Je n'arrivais pas à comprendre exactement dans quel zoo j'étais tombée ni quel rôle je devais jouer. Dans ces cas-là, il vaut mieux prendre la couleur des murs, rester sans rien faire, sans rien dire, respirer à peine. Et quand il y a ce genre d'araignées dans les parages, il faut même essayer de se glisser derrière la peinture des murs. On ne sait jamais.

Machin n'était visiblement pas du même avis que moi parce qu'il s'est écrié, très défenseur des droits de la veuve et de l'orphelin, très indigné :

— Vous n'avez pas le droit de nous garder ici. Nous sommes des citoyens libres. Vous n'avez aucun droit sur nous. J'exige d'être libéré immédiatement.

Je me suis dit : « Vas-y, ksss ksss, mords-le. »

Tournebroche l'a regardé avec intérêt, amusé. Il s'est frotté le menton avec un geste que j'avais vu chez tous les barbus. Il venait peut-être seulement de se raser.

— Mais... vous pouvez sortir quand vous le désirez, a-t-il dit avec de grands yeux candides.

Ça nous a un peu surpris et nous nous sommes regardés, Machin et moi.

— Toutes les portes sont ouvertes. Je tiens seulement à vous avertir que, sitôt passé les portes, la petite boîte sur votre épaule se déclenchera. Pic ! et alors...

Il a laissé planer un mystère gros comme un autobus.

— Alors?

— Alors pic!... Dans cette boîte, il y a une petite seringue et une petite aiguille. Si vous quittez le laboratoire, un ressort se déclenchera et l'aiguille se plantera dans votre épaule pour vous injecter un sédatif puissant qui vous fera dormir en quelques secondes. Cela n'a rien de sorcier, c'est une petite machine toute simple. C'est un peu comme si vous vous promeniez avec une petite araignée à mes ordres sur votre épaule.

Il avait amélioré le jeu du chat et de la souris. C'était devenu le jeu de l'araignée et du papillon.

Je poussais le journalisme un peu loin. Le Chauve voulait un reportage vécu sur les insectes. J'étais en train de vivre l'histoire du papillon tout à fait englué dans la toile alors que l'araignée met déjà la table pour son repas. Je trouvais les papillons stupides. Je l'étais encore plus.

Il a fait suivre sa tirade d'un joli sourire plein de dents, ou alors de dards? Est-ce que les araignées ont des dards pour piquer, comme les moustiques ou les abeilles? Je déteste tout ce qui pique, y compris les seringues.

Je m'amusais beaucoup.

La dernière fois que je m'étais autant amusée, c'est quand je m'étais retrouvée avec une araignée grosse comme un melon sur le nez. C'est vous dire!

Il nous a invités à le suivre. J'ai regardé Machin. Il a haussé les épaules. Toujours aussi bavard. Il voulait probablement dire que, de toute façon, nous n'avions rien à perdre. Je lui ai répondu par un autre haussement d'épaules. Ça économisait les mâchoires.

Nous avons emprunté un couloir. Blanc. Nu. Un couloir, quoi.

Tournebroche marchait devant, toujours avec son araignée sur l'épaule.

— Vous m'excuserez de l'inconfort, mais je ne m'attendais pas à recevoir des visiteurs. Mais comme vous deveniez gênants j'ai dû intervenir. J'espère que vous ne trouverez pas l'endroit trop désagréable. Pour ne rien vous cacher, j'espère même vous intéresser à mes projets.

Nous suivions le corridor qui n'avait ni porte ni fenêtre. C'était triste comme un lundi d'école. Lui, il continuait à parler joyeusement, ce qui était bizarre.

— Excusez-moi si je parle beaucoup, mais je suis souvent très seul dans mon travail et je suis très content de pouvoir causer avec quelqu'un. J'aimerais que vous ne preniez pas votre situation trop au tragique. Aussi bien essayer de partager quelques bons moments ensemble quand nous le pouvons. N'est-ce pas?

Et puis quoi encore? Je suis déjà allée à des parties de rigolade un peu plus réussies que celle-là. Ce n'est pas exactement une colonie de vacances ici et vous êtes le plus moche moniteur dont j'ai entendu parler. Parole d'honneur.

J'en étais là de mes réflexions quand nous sommes arrivés dans une grande salle. Il n'avait pas cessé de parler de tout le chemin et il valait peut-être mieux le laisser faire. On dit bien : «Chien qui aboie ne mord pas.» Peut-être que araignée qui parle ne pique pas? Ça ne coûtait rien d'essayer.

La salle où nous étions arrivés était immense, blanche, pas vide du tout.

Il y avait des aquariums de toutes les tailles partout : sur des cubes, dans les murs, sur des étagères. Il n'y avait pas d'eau dans ces aquariums, mais plutôt ce qui me hantait depuis le début de ce séjour à la campagne : des araignées. Non seulement ils en ont autant qu'ils en veulent dans leurs vieilles maisons en bois mais, en plus, il faut qu'ils les élèvent ! J'avais rencontré plus d'araignées en quelques heures que dans toute ma vie.

Si ça continuait, j'allais faire une allergie ou alors trouver une nouvelle vocation en plus du journalisme : exterminatrice. Je me voyais très bien en train de faire disparaître toutes les araignées de chez ma tante, j'en profiterais aussi pour exterminer tous les tss tss et tous les cheveux de chauves qui se permettraient de quitter le navire en ma présence. Pourquoi se contenter d'exterminer des insectes? Le monde est mal fait. Il y a plein de choses à faire disparaître. S'il n'en tenait qu'à moi... En attendant, nous continuions la visite guidée.

Au centre de la pièce se trouvait une espèce d'immense serre en verre. Dans un de ses coins, il y avait une grande table de travail avec tout ce qu'il faut pour travailler : crayons, papiers, calculatrice et désordre.

— Voilà mon petit nid, a-t-il dit avec un geste large. Venez, je vous fais faire le tour de ma collection.

Dans le fond, il était exactement semblable à Machin, mais parfaitement l'inverse. Un aimait les papillons, l'autre les araignées. Qui allait gagner? Ils vivaient tous les deux dans un monde de bestioles et c'était la seule chose dont ils parlaient quand ils ouvraient la bouche.

De quoi aurait l'air le monde si on n'y trouvait que des passionnés dangereux comme ça?

Allez, hop! à exterminer...

8

Une araignée au plafond

Il existe 23 000 espèces
d'araignées dans le monde.

Il nous a tout expliqué. Il ne nous a rien épargné: ni les grosses, ni les petites, ni les velues... Il y avait aussi celles qui tissent des belles toiles, celles qui ne sont pas douées, celles qui creusent des terriers, celles qui chassent à pied...

C'est inimaginable tout ce que la nature a pu inventer pour me faire peur.

À la fin, il s'est arrêté près de sa table de travail. Il a déposé Sybille sur une branche d'arbre mort. Ses yeux brillaient d'excitation.

— Sybille est une veuve noire. Son venin peut tuer un homme.

Inimaginable!

Il nous a donné balais, vadrouilles et torchons. C'était notre participation à son entreprise: faire le ménage. Machin n'était pas d'accord, mais je lui ai fait comprendre qu'il valait mieux ne pas trop le contrarier pour le moment. Ni lui ni sa bestiole venimeuse.

Il faut avouer que la pièce en avait besoin. Les coins étaient noyés de poussière. Il y avait des traces de doigts partout sur les aquariums et des miettes sur le plancher à remplir plusieurs sacs à ordures.

Ma mère n'était pas la sienne, sinon, araignées ou pas, il se serait fait tirer l'oreille et priver de sorties jusqu'à ce que tout reluise comme un sou neuf.

Ma mère est une grande brune pleine d'énergie et tout à fait merveilleuse. Tant qu'il n'est pas question de ménage.

Pendant que nous frottions et que Tournebroche nourrissait ses araignées, un tas de souvenirs de la maison n'arrêtaient pas de revenir me hanter.

J'ai même eu une pensée pour le Chauve. La prochaine fois qu'il me demande un reportage aussi saugrenu, il pourra bien se gratter la tête à en faire disparaître le souvenir des cheveux, à s'en égratigner le cerveau. Je suis même prête à lui fournir le papier sablé et le désherbant pour m'assurer que plus rien n'y repousse jamais. Il n'est plus question que j'accepte quoi que ce soit pour faire plaisir à un cheveu.

Après quelque temps, Tournebroche s'est levé. Il s'est approché d'une paroi. Il a appuyé sur quelque chose et un grand panneau a glissé dans le mur sans bruit.

Tournebroche est resté là, sans bouger, devant une grande vitre d'où provenait une faible lumière. Il semblait hypnotisé.

Il a dû se sentir épié parce qu'il s'est retourné vers moi. Il m'a fait signe d'approcher.

J'ai demandé à Machin de me suivre. Je me sentais plus en sécurité avec lui, même s'il est plus petit que moi.

Derrière la vitre, il y avait une autre pièce pleine de grandes tables couvertes de plats. On voyait mal ce qu'il y avait dans ces plats parce que la lumière qui tombait des lampes suspendues à quelques centimètres des tables était trop faible. C'étaient des petits tas bizarres, des amas de grains plus ou moins translucides, des genres de cocons.

Un tas de saletés qu'on allait sûrement avoir à nettoyer.

Mais Machin a dit d'un ton ahuri :

— On dirait des œufs d'araignée.

Tournebroche a continué, le regard braqué sur les œufs.

— Des millions d'œufs d'araignée que j'accumule depuis des années. Ils sont en hibernation artificielle : la température et l'humidité de la pièce sont contrôlées de telle manière que les œufs continuent à vivre mais sans éclore. C'est mon trésor.

Tout ça faisait combien de milliards de pattes ? Qu'est-ce qu'il voulait bien faire avec toutes ces futures bestioles ? Un film d'horreur ? Un gigantesque collier ? Un cadeau à l'Insectarium ?

Comment peut-on passer des années à collectionner des œufs d'araignée ? Au moins les timbres, c'est joli.

Pas de doute, il avait une araignée au plafond.

— Venez ici maintenant. Il s'est dirigé à petits pas grisonnants vers la grande serre. Il y avait une petite table pleine de boutons à côté. Il en a actionné un.

Il ne s'est d'abord rien passé. Puis un monarque est arrivé. Puis un deuxième. Un troisième. Ça n'arrêtait plus. Des dizaines de papillons noir et orange pénétraient dans la serre par un grand tube situé sur le dessus.

Ensuite ils restaient là, tout bêtes, tout idiots, à attendre je ne sais quoi. Un aller simple pour le Mexique peut-être? En première classe?

La serre était pleine. Ils se volaient les uns sur les autres. Il aurait fallu des feux de circulation dans cette serre qui n'était plus qu'une masse compacte orange et noire de pattes, d'ailes et de trompes entremêlées.

Tournebroche avait les yeux pétillants. Il allait jouer sa grande scène. Depuis des années qu'il attendait d'avoir quelqu'un auprès de qui se vanter, il n'allait pas manquer sa chance. Il allait tout nous apprendre. Ça ne me plaisait pas beaucoup : dans ces histoires, moins on en sait et mieux ça vaut.

— Dans quelques jours, les monarques vont entreprendre leur grand voyage annuel. J'ai réussi à mettre au point un émetteur qui leur fait croire que le plus court chemin vers le Mexique passe par cette serre. De centaines de kilomètres ils vont tous converger ici, dans cette cage et dans celles qui sont prêtes dans les autres pièces.

— Et alors...

Il a appuyé sur un autre bouton. Il était doué pour la mise en scène. Nous gardions les yeux rivés à la cage dans l'attente de quelque chose.

Et alors... des araignées sont arrivées dans la cage. Des centaines, des milliers d'araignées affamées. Toutes pattes dehors, tous dards aiguisés.

Elles se sont précipitées vers les pauvres papillons qui ont battu des ailes une dernière fois avant d'être engloutis par ces araignées sans pitié. Ils succombaient sans bruit, muets, puis muets à jamais. Ça dépassait tous les rosiers gelés, ça dépassait tous les chauves.

Le carnage était indescriptible. C'était... C'était...

Horrible?

Pis encore!

Nous étions abasourdis. Des centaines de gentils papillons succombaient devant nous. Quand l'horreur atteint ces dimensions, il ne reste plus qu'à balbutier :

— Mais... pourquoi?

— Parce que je les déteste. Parce qu'ils sont libres. Parce qu'ils sont innocents. Parce qu'ils descendent chaque année dans le Sud pour se payer des vacances alors que, moi, je reste ici à travailler. Ils sont une insulte à tout ce que j'ai fait, à toutes ces années de travail solitaire, de réclusion, de privation. Parce que les papillons sont le symbole de la liberté. Et que personne n'est libre. Personne. Ils serviront d'exemple.

— Mais à quoi ça peut servir?

C'est vrai que je ne comprenais pas. Il a eu l'air surpris de ma question. Il a réfléchi un instant. Il n'y avait jamais pensé auparavant. J'aurais été son professeur, je lui aurais collé un zéro.

— Le monde se souviendra de moi! Ensuite, je lâcherai mes araignées dans les champs et elles détruiront tout sur leur passage. Je serai le maître des araignées. J'en créerai de nouvelles sortes, plus grosses, plus voraces...

Il a continué à délirer. Dans le fond, il ne savait pas à quoi ça servait. Moi, je le savais. Ça servait à lui faire plaisir. Il ne pensait qu'à lui. Il ne pensait qu'à ses petits plaisirs sans rien laisser aux autres. Il était prêt à détruire tous les papillons sans penser à ce qu'il faisait. Seulement parce qu'il en avait envie. Il n'avait pas une araignée au plafond, il en avait des centaines, qui avaient tissé leur toile au fond de son cerveau et attrapé puis dévoré les derniers lambeaux de raison qui avaient osé s'y aventurer. Il continuait :

— Demain, des millions de monarques serviront de premier repas à tous ces œufs qui vont éclore.

Il avait progressivement haussé le ton et les derniers mots étaient retombés dans le silence sur les cadavres déchirés de ses victimes.

Qu'est-ce qu'ils avaient tous à prendre les papillons pour des symboles? N'y avait-il que moi de bêtement ordinaire ici? N'y avait-il que moi pour prendre les papillons pour des papillons?

Je suis certaine que tous les papillons m'appuient.

Depuis déjà quelques instants, j'entendais un tic-tac. C'était Machin qui se transformait lentement en bombe à retardement. Il était livide. Ses grands yeux sombres étaient devenus de petites fentes pleines d'éclairs et de larmes.

Je me suis courageusement éloignée. «Kss, kss, vas-y, mords-le!»

Il a explosé.

— C'est monstrueux. Vous n'avez pas le droit!

Le petit Machin s'est précipité sur Tournebroche. C'était beau, c'était noble, c'était tout à fait inutile.

Le professeur a sorti de sa poche une télécommande. Machin a porté

la main à son épaule. Il a voulu courir encore, mais ses jambes sont restées là. Son corps a continué seul. Presque au ralenti. Ce n'était pas très pratique pour avancer, alors il est tombé comme un sac sur le plancher.

Tournebroche est resté tout seul dans sa toile.

J'ai traîné Machin dans la pièce où on avait été enfermés plus tôt. En attendant qu'il se réveille, j'ai pris un paquet de gommes à mâcher dans ma poche et j'ai tout mis dans ma bouche. Je n'avais jamais engouffré une aussi grosse gomme de ma vie. À m'en décrocher la mâchoire.

Puis j'ai fait le tour de la pièce pour sauter à pieds joints sur tout ce qui ressemblait à une araignée. Ça a fait crounch.

Crounch, crounch, crounch.

Et encore crounch.

Et ça laissait des saletés partout.

Crounch!

9

L'évasion

Les papillons se nourrissent
du nectar des fleurs.

Dix minutes plus tard, Machin a ouvert un œil endormi.

Il n'y avait plus d'araignées à écraser depuis longtemps et j'avais mal jusqu'aux épaules à force de mâcher cette énorme gomme.

Je l'ai un peu secoué. À peine. Je me suis arrêtée parce que je ne voulais pas lui arracher la tête. Je ne lui ai pas laissé le temps de reprendre ses esprits. Il avait les yeux vitreux. Il était encore sous l'effet du somnifère, mais on n'avait pas le temps de faire un somme.

— Allez ! Vite ! On sort d'ici.

Il s'est laissé retomber sur le sol et il s'est pris la tête dans les mains.

— Ça ne sert à rien, nous sommes prisonniers.

— Un peu de nerf! Les portes sont grandes ouvertes.

— Mais la boîte noire...

— Boîte noire ou non, si tu crois que je vais rester une minute de plus dans cet endroit, je m'en bats les ailes. La boîte noire, je m'en charge.

C'est vrai, quand même. Ça s'attaque aux pauvres chasseresses de papillons et ça les pousse dans les herbes, mais ça s'effondre au premier coup dur. Je n'avais plus le temps de m'occuper des détails, je sauvais notre peau. Je n'avais plus envie de jouer au papillon après ce que je venais de voir. J'étais déchaînée, plus forte que toutes les drogues.

Nous avons erré quelque temps avant de trouver un escalier qui montait. Je nous ai arrêtés. J'ai pris ma gomme. Je l'ai séparée en deux.

— La seringue qui est dans cette boîte est faite pour piquer les êtres humains, pour trouer la peau. Elle ne doit pas être assez forte pour traverser une bonne grosse gomme bien collante.

J'ai glissé ma moitié de gomme entre ma peau et la boîte. Il n'y avait pas beaucoup d'espace, mais la gomme est passée dans l'ouverture.

J'ai ouvert la porte. Elle n'était pas fermée à clé. Tournebroche n'avait pas menti. Le cœur un peu serré, je me suis précipitée dehors. J'ai fait quelques pas.

Il ne s'est rien produit. J'étais toujours bien réveillée. *Kaput*, la machine! J'étais plus maligne que la seringue. Plus maligne que toutes ces araignées qui s'imaginaient que j'étais aussi désarmée que les papillons.

J'attendais les applaudissements de la foule, mais la foule, en l'occurrence Machin, me regardait de l'autre côté de la porte avec des citrouilles dans les yeux. Je n'étais pas peu fière de moi.

Quand personne n'applaudit, il faut s'aider de temps en temps. J'ai dit :

— Philomène, tu es merveilleuse. Merci, merci, c'est bien vrai...

Mais maintenant, j'avais des fourmis dans les jambes. Il était temps de partir. Le ciel s'était mis au beau fixe. Nous étions libres. Je n'avais plus qu'à torturer Machin jusqu'à ce qu'il me montre sa collection de photos et qu'il m'accorde une entrevue et j'étais sauvée pour encore une semaine.

Il a fallu que je le tire dehors. Il ne voulait pas bouger. Est-ce qu'il avait peur de se faire endormir ou est-ce qu'il était déjà trop endormi? Il résistait mais il était plus petit que moi.

Il a fini par me suivre et nous sommes sortis.

— Tu vois, il n'y a plus de danger, on peut s'en aller.

Machin s'est retourné. Il a regardé la vieille maison et la vieille grange d'où nous venions. Il a encore fait quelques pas.

— Dépêche-toi, cours ! Ce n'est pas le temps de moisir ici.

Il s'est arrêté.

Ça s'annonçait plutôt mal.

— Non !

C'est tout ce qu'il a dit après s'être arrêté.

Je suis revenue sur mes pas. J'ai pris des tas de grandes inspirations. Ma patience tombait en tout petits morceaux, tout petits, tout petits. Si petits qu'on ne la voyait même plus. J'ai fait tss tss.

Ça voulait tout dire.

— Non ! Il faut que j'y retourne.

Je ne comprenais plus, alors j'ai dit :

— Je ne comprends plus.

— Il n'y a rien à comprendre. Toi, tu continues, et moi, j'y retourne.

Il se tenait bien droit. Sûr de lui. J'en avais plus qu'assez de sa petite guerre avec Tournebroche. C'était toujours moi qui devais aller les ramasser après.

— Tss tss.

Je n'avais plus de patience du tout. J'ai quand même réussi à parler doucement, ce qui était tout à fait un exploit olympique terrible.

— Écoute, je ne suis peut-être pas une dingue des insectes comme toi. J'aime bien ma petite vie ordinaire. Mais depuis ce matin, on me cogne sur la tête et on me couvre d'araignées parce que, depuis trois jours, j'essaie de sauver les cheveux du monde entier et les petits malins qui perdent leurs lentilles partout. J'en ai assez... alors, tu viens avec moi et on n'en parle plus, on vivra très vieux très longtemps et on aura plein de collections de papillons...

Il a dit :

— Tu ne comprendrais pas...

— C'est toi qui ne comprends pas que j'en ai marre des cinglés de votre espèce. J'en ai par-dessus la tête. Vous passez votre temps à croire que vos petites histoires sont plus importantes que ma vie. J'ai des petites nouvelles pour vous. Il n'y a pas que les insectes sur la terre. Moi aussi, j'existe !

Voilà. Je le lui avais dit. Il faut de temps en temps expliquer clairement les choses si on ne veut pas se laisser embarquer dans des histoires qui ne nous regardent pas.

Ça l'a fait pleurer. Il s'est mis à parler comme s'il s'arrachait le cœur.

— Je sais que j'ai l'air bizarre avec mes histoires. Ici, tout le monde me trouve bizarre. Je n'ai pas d'ami. Je vis avec ma mère parce que mon père est resté au Cambodge. Là-bas, c'est la guerre civile depuis longtemps. Il y est resté parce qu'il était prisonnier. Il est peut-être mort maintenant. Tout le monde a le droit d'être libre. Même un papillon.

Ses yeux se sont remplis de toute la noirceur de la douleur. Il faisait nuit dans ses yeux. J'ai compris un peu ce que les papillons représentaient pour lui. Chaque fois qu'il sauvait un papillon, il donnait une nouvelle chance à son père. Ils étaient un symbole pour tous ceux qui étaient enfermés, pour tout ceux qui souffraient. Ils sont si légers, si fragiles et si libres, les papillons. Chaque papillon capturé était un prisonnier de plus. Un papillon mourait et c'était quelqu'un qui disparaissait, la douleur de la famille et des orphelins de plus.

Les papillons comptaient plus que sa vie. Je m'étais trompée quand j'avais pensé qu'il était semblable à Tournebroche parce qu'ils aimaient tous les deux les insectes. Tournebroche ne pensait qu'à lui. Machin souffrait pour tous les autres.

Il s'est retourné et il est parti se jeter en courant dans la toile d'araignée. Un vrai petit papillon de nuit qui retournait se brûler sur une lampe.

Pas de doute, il allait très très mal finir.

Pourquoi avait-il une si bonne raison?

Pourquoi avaient-ils tous une meilleure raison que moi? Pourquoi est-ce que je n'avais pas moi aussi un père disparu quelque part? Parce que j'étais chanceuse. C'est tout! Et ça, ce n'est jamais une bonne excuse.

J'ai rassemblé toute mon énergie et je l'ai abandonné avec courage. Je tenais à ma peau. On n'a pas tous la vocation de sauver le monde, j'avais celle de journaliste et ça me menait déjà dans assez de mauvaises situations comme ça.

J'ai fait quelques pas, j'ai bien regardé partout. Il devait probablement traîner, quelque part, quelques morceaux de bon sens, parce que tout le monde avait l'air d'avoir égaré le sien. J'ai bien regardé partout. Il n'y avait pas la moindre trace de bon sens. Comme il n'y en avait pas non plus pour moi, je me suis retournée et je l'ai suivi.

J'allais sûrement très très mal finir.

10

Épinglés

Les araignées
n'ont pas de cou.

Quand je suis arrivée dans la pièce centrale, Machin avait déjà ramassé un des balais et il frappait sur la verrière à s'en casser les bras. Il était déchaîné. Ça ne servait à rien. C'était blindé.

Il ne réussissait qu'à faire peur à la foule de monarques qui avaient à nouveau envahi la verrière.

Le projet devait être en marche parce que la lumière était plus intense derrière le panneau vitré. Le professeur avait déjà commencé à faire éclore ses œufs.

Tournebroche, sans doute alerté par les coups qui résonnaient dans la pièce, est arrivé. Il a rapidement saisi sa télécommande. Quand il a vu que ses petites boîtes ne fonctionnaient plus, il s'est précipité vers sa table.

J'ai essayé d'arrêter Machin pour l'entraîner ailleurs avant que ça n'aille plus mal, mais il n'écoutait plus rien, il se contentait de frapper encore et encore.

Brusquement on s'est retrouvés sous un immense filet qui devait être tombé du plafond. Tournebroche avait tout prévu. Il a pris un flacon et un chiffon dans une petite armoire. Il s'est approché à petits pas pressés. J'ai tout de suite reconnu l'odeur.

Machin aussi puisqu'il s'est mis à se débattre sans succès. Quand Tournebroche lui a appliqué le formol sur le visage, il s'est rapidement calmé puis il n'a plus bougé.

Avant d'entreprendre ma chasse aux papillons, je m'étais renseignée : le formol est un produit qu'on met dans un petit bocal pour y enfermer les papillons qu'on vient d'attraper. Ça les tue.

Ou alors ça les endort, selon la dose.

J'aurais tout essayé de la vie d'un papillon. Mais seulement les mauvais côtés.

J'ai tourné de l'œil.

Quand il y a des araignées quelque part, je ne dors jamais. Cet endroit était le plus gros repaire du plus grand nombre d'araignées qu'on ait jamais vu.

Formol ou pas formol, je n'allais pas m'endormir ici. M'affaiblir, oui. Dormir, non. Jamais.

Machin dormait dur, lui. Moi, j'ai pu voir Tournebroche apporter dans la pièce deux grands panneaux qui avaient l'air très légers. Il les a posés près du mur, là où il y avait de gros crochets.

Puis il nous a traînés jusque-là. Je faisais semblant de dormir pour avoir le temps de reprendre des forces. Je ne dormais pas, mais je me sentais épouvantablement faible. J'avais encore l'odeur du formol plein le nez et, dans ma gorge, un goût épouvantable.

Ces panneaux avaient chacun une rainure profonde au centre. C'était la réplique en plus grand des panneaux sur lesquels on épingle les papillons pour les faire sécher.

Il nous a installés, le corps dans la rainure, les bras et les jambes écartés de chaque côté.

La farce était parfaite. Elle n'était pas drôle. Il voulait nous épingler comme des papillons.

Je nous voyais déjà suspendus au mur. Momifiés. Craquants comme de vieux papillons. Les yeux ternes et secs. À côté de moi, on aurait mis un petit panneau : Journaliste en herbe. On aurait pu ajouter : trop curieuse.

Une belle image pour une première page de journal. Un journal d'actualités criminelles.

Il y avait exagération.

Il a rapporté de grandes bandes de tissu blanc et il a commencé à attacher Machin.

J'avais quelques instants pour sauver ma peau. Quelques instants avant qu'il ne vienne m'attacher moi aussi. Quelques derniers instants pour mettre à exécution un plan qui faisait se hérisser mes cheveux.

Le Chauve n'aurait pas été content.

11

Sybille s'en mêle

> S'il ne s'enfuit pas
> rapidement,
> le mâle de la veuve noire
> risque de se faire dévorer
> par sa femelle après
> l'accouplement.

Il m'a tourné le dos pour mieux attacher Machin. Je me suis doucement levée. Le plancher tournait dans un sens puis dans l'autre. Je me suis dit : «Tss tss Philomène, fais une journaliste de toi.»

Je me suis approchée de la table de Tournebroche. Sybille se reposait dans son petit terrarium.

J'ai approché ma main de la bête.

Je me suis répétée que les araignées ne sont pas méchantes quand on s'occupe d'elles.

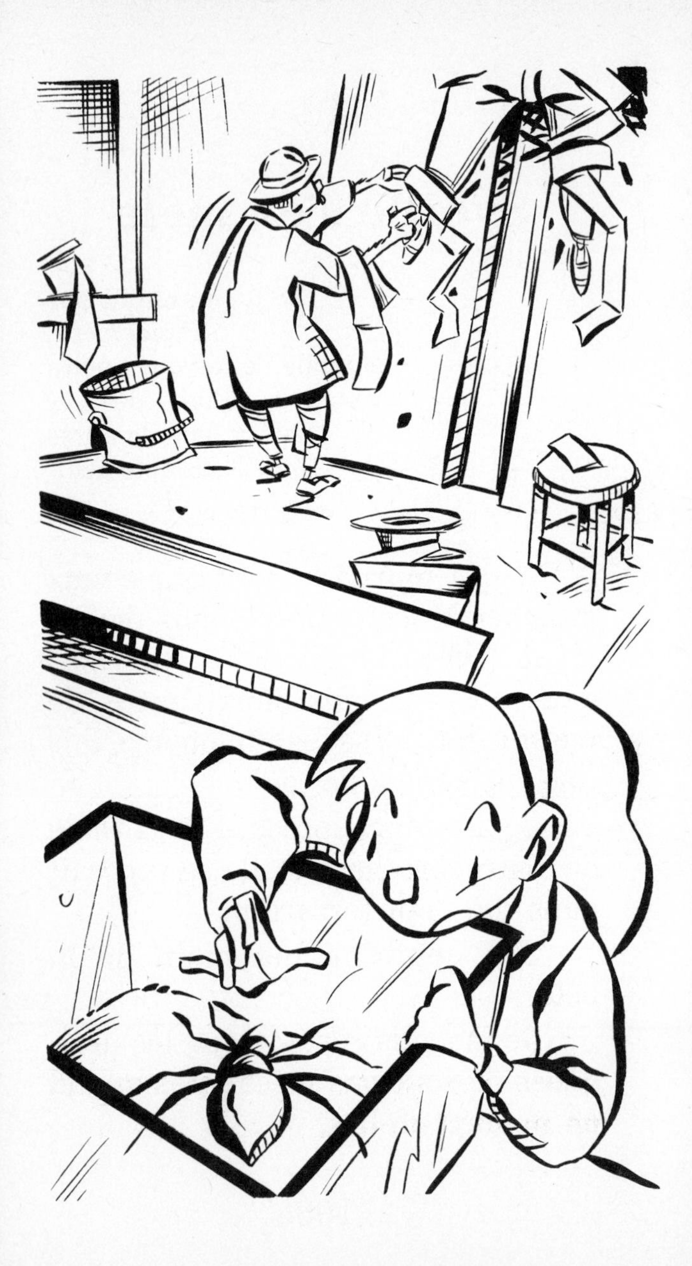

Ma main tremblait tellement que j'entendais tous les petits os qui s'entrechoquaient à l'intérieur. C'était agaçant. Ça devait être agaçant pour elle aussi. Elle allait me piquer juste pour que ça arrête. C'est sûr.

Elle a regardé la main avec ses multiples yeux. Elle a levé une patte curieuse. Elle a tâté le terrain.

J'étais tellement tendue que tout allait se déchirer à l'intérieur de mon corps. J'allais tomber en morceaux. J'avais la main glacée, les oreilles chaudes. D'un seul coup, ma faiblesse s'était envolée, mais je me sentais tellement mal que, même si on me l'avait demandé en examen, je n'aurais jamais pu décrire tout ce qui allait mal à ce moment-là.

Elle hésitait. J'ai avancé encore la main. J'ai touché son corps. Il était mou et chaud.

Sybille s'est alors avancée sur ma main. Elle était lourde. Chaque frôlement de ses pattes était comme un poignard de glace.

Est-elle vraiment venimeuse? Est-ce qu'on en meurt? En combien de temps? Est-ce qu'on souffre?

Quelle répugnante bestiole!

Je ne voulais pas mourir.

Je ne m'étais pas encore évanouie. Le plus difficile était passé. Le pire était à venir.

Sybille s'était installée au creux de ma main. Puis, tout à coup, c'est arrivé. Irrésistible. Hic! Un hoquet. Je venais d'attraper le hoquet!

Sybille m'a regardée de plusieurs yeux interrogateurs. À chaque hoquet, elle sursautait. Je me voyais déjà morte.

Dans deux secondes tout serait peut-être terminé. Les roses, les tss tss, les papillons. Robert ne pourrait plus faire ralentir le monde. Là où je serais, il n'y aurait plus rien à ralentir.

J'ai promis à Sybille sa photo en première page si elle restait gentille.

Ça lui a plu puisqu'elle a fait comme si mon hoquet ne la dérangeait pas. Pourtant, je pouvais voir dans ses petits yeux que les araignées n'aiment pas être secouées de la sorte. Mais, entre femmes, on s'épaulait.

Il paraît qu'il faut faire peur aux gens pour leur enlever le hoquet. Moi, c'est le contraire. Quand j'ai peur, hic! le hoquet me saute dessus comme un professeur sur un élève endormi.

Tournebroche terminait d'épingler Machin.

J'ai crié, tout bas pour ne pas effrayer Sybille.

— Tournebroche! la farce est terminée.

Il s'est retourné. Il a vu sa chérie.

— Si vous bougez, j'écrase votre bisbille, votre myrtille, votre bacille... Elle! Hic!

— Ne lui faites pas de mal, sinon...

Je n'avais pas envie de prolonger la situation sans raison. Je l'ai interrompu.

— Taisez-vous et détachez-le. Vite !

Il ne faut pas abuser des bonnes choses et la gentillesse de Sybille était la seule bonne chose qui m'était arrivée de la journée. Hic !

Il s'est mis à réfléchir. Il hésitait entre deux sentiments : me tordre le cou ou sauver sa bestiole. Selon ce qu'il pensait, ses sourcils et son front se crispaient ou s'attendrissaient. Alternance de pluie et d'orage sur le front, aurait dit la météorologue.

Puis il s'est décidé à détacher Machin.

Il était devenu tout doux et tout obéissant pour l'amour d'une araignée. Incroyable. C'est ça, la passion. Comme ma tante et ses roses. Comme Machin et ses papillons.

J'avais la situation et l'araignée bien en main lorsqu'elle a commencé à vouloir faire le tour du propriétaire. Du propriétaire de la main.

Sybille s'est mise à se trémousser de tous les côtés puis à grimper le long de mon bras.

Horrible ! Hic !

Hypnotisée, je la regardais monter en me gratouillant le bras. Désagréable sensation. Je ne savais plus quoi faire. Je n'osais plus bouger. J'attendais que le héros vienne me sauver.

Il n'y avait pas de héros en vue. C'était moi, l'héroïne.

J'avais été capable de la prendre dans ma main. D'accord. J'avais fait mon bout de chemin. Mais personne ne m'avait dit quoi faire quand une grosse araignée venimeuse rouge et noire appelée Sybille monte le long de votre bras lorsque vous avez le hoquet.

Personne ne me dit jamais rien.

Je n'avais rien appris non plus à l'école à ce sujet. On est vraiment abandonné dans la vie. Laissé seul. Il faut se débrouiller tout seul avec son hoquet. Au fond, on n'est pas mieux que les papillons. Eux, au moins, ils descendent au Mexique chaque année. J'ai des voisins comme ça.

Elle est arrivée sur mon épaule. Elle a fait une pause pour admirer la vue. Ses pattes me tâtaient le cou. Elle me chatouillait.

Coquine.

Puis elle est montée dans mes cheveux. Je ne la voyais plus. C'était pire que tout. Et le hoquet qui augmentait.

D'une toute petite voix, j'ai dit :

— Sybille, où es-tu?

À ce moment, je l'ai sentie sur mon front, une patte mince et curieuse. Ah ! non ! Hic ! Pas sur le nez ! Tout mais pas sur le nez !

Il y avait exagération.

J'ai crié comme une folle.

J'ai sauté plus haut que le record olympique.

J'ai fait trois fois le tour de la pièce en hurlant.

Sybille n'était plus là !

Je commençais à avoir le truc pour m'en débarrasser, des araignées. Et, en plus, je n'avais plus le hoquet. J'ai entendu Tournebroche dire :

— Sybille ! Ma toute petite...

Il était à l'autre bout de la pièce. Il la ramassait par terre. Il m'a regardée. Je venais d'échapper à une mort abominable, mais pour tomber dans quoi ?

— Tu vas me le payer.

Il s'est dirigé vers moi avec un bâton qui n'avait pas l'air gentil et qui se terminait par un crochet de fer. Il ne devait plus avoir de filet à faire tomber du plafond.

J'étais à côté de la couveuse d'araignées. Ça ne coûtait rien d'essayer. J'ai bondi jusqu'au panneau. J'ai touché à tout ce qui dépassait. Soudain, une violente lumière m'a fait reculer. Toutes les lampes étaient devenues comme des soleils. Ça éclairait dur là-dedans. Hallucinant halogène.

— Non !

Tournebroche avait crié, la voix pleine d'horreur.

Il s'est précipité sur le panneau. Ça faisait un bruit de maïs soufflé là-dedans et une odeur sucrée se répandait dans la pièce.

Je connaissais. Ça sentait comme lorsque le petit voisin qui venait de se procurer une loupe s'était amusé à faire griller des fourmis en concentrant les rayons du soleil.

Horrible !

Ça allait faire une terrible omelette.

J'étais bêtement restée plantée là, à regarder. Tournebroche était à côté de moi. Il s'est retourné avec un visage hideusement tordu de méchanceté. Il était devenu plus moche que sa plus moche araignée. Tout d'un coup je m'ennuyais de Sybille.

Avant qu'il ne m'attrape j'étais déjà partie, mais il avait réussi à s'accrocher à ma ceinture.

Je me suis démenée comme jamais. Je n'ai absolument jamais couru aussi vite. J'ai renversé tous les terrariums. On marchait sur les araignées. J'avais peur, j'avais des ailes, mais il restait accroché à ma ceinture. Je le traînais comme un mauvais souvenir, comme une mauvaise note, comme les tss tss de ma tante.

Sursautant, ruant, cavalcadant, nous sommes arrivés près de la table de travail.

Soudain, j'ai dérapé et nous nous sommes effondrés tous les

deux sur la table où Tournebroche avait déposé Sybille.

Tout s'est renversé avec fracas. Moi, la table, Sybille, Tournebroche. J'étais par terre, certaine de recevoir le coup fatal à chaque millionième de seconde.

Tournebroche a poussé un hurlement à faire glacer le sang.

Je me suis retournée. Il était à genoux. Il se tenait le cou. Il avait les yeux hagards.

— Elle m'a piqué ! Sybille m'a piqué !

Il n'avait pas l'air d'apprécier se retrouver dans le rôle du papillon. De toute façon, il faisait un papillon plutôt moche.

Ladite Sybille reculait précautionneusement vers un des coins de la pièce. Les araignées ne piquent pas quand on est gentil avec elles, mais elles ont peur quand elles tombent d'une table et que quelqu'un essaie de les écraser, même si c'est leur maître. Elle avait eu peur et elle s'était défendue de la seule façon qu'elle connaissait.

La chère petite.

12

Direction plein sud

Avec leurs gros yeux,
les papillons peuvent voir
en même temps
dans toutes les directions.

Les infirmiers sont arrivés assez vite pour le sauver.

Les policiers nous ont entourés le temps de quelques formalités.

Machin s'était réveillé. Quand il s'est vu encerclé par tout ce monde, il s'est mis à rougir, mais il lui est resté au coin du visage un petit sourire très fier.

Il s'est dirigé vers la serre qui grouillait de papillons. Il a actionné une manette. Il ne s'est pas trompé. Il avait dû observer Tournebroche. Les papillons ont commencé à repartir par où ils étaient arrivés.

J'ai couru ramasser l'appareil photo de Machin qui était tombé par terre avec la table. J'ai couru lui prendre la main pour le tirer dehors.

Les papillons se sont dispersés de tous les côtés plus vite que des étudiants après le dernier examen. On aurait dit un nuage multicolore. Comme une grande écharpe brillante qui se serait décousue devant nous.

Je lui ai donné son appareil photo. Il a visé les papillons puis il a laissé retomber l'appareil sans prendre de photos.

— Les papillons, c'est comme les rêves, c'est comme les nuages ou le bonheur. Ils vont, ils viennent, ça ne sert à rien de les fixer sur le papier.

Il était meilleur que moi pour les belles phrases. J'ai dit platement :

— C'est vrai qu'ils sont merveilleux.

Il arborait un sourire immense, il avait les yeux plantés dans le ciel.

Il m'a regardée. Il a pris la couleur d'un homard. Il a baissé les yeux au sol. Il s'est dandiné d'un pied à l'autre. Puis il a dit :

— Oui, presque autant que toi.

Et il m'a embrassée sur la joue.

Zut alors ! J'avais des papillons dans l'estomac maintenant !

Quand je suis descendue de la voiture de police, ma tante est sortie à toute vitesse de la maison. Elle s'est arrêtée. Elle a replacé sa jupe. Elle était énervée mais elle ne voulait pas que ça paraisse. Elle s'est redressée. Elle était certaine que j'avais fait un mauvais coup.

Elle a dit :

— Tss tss, qu'est-ce qu'elle a encore fait comme mauvais coup?

Je l'avais bien dit.

Elle s'adressait au policier. Ils se parlaient entre adultes et, moi, je ne comptais pas du tout. Et pourtant, c'est moi qui avais tout fait aujourd'hui.

Heureusement que le policier lui a raconté toute l'histoire, sinon elle aurait cru que j'inventais.

Elle a été surprise. Elle ne savait plus quoi dire. Alors, elle a continué à faire des tss tss sans raison. Robert est arrivé. Il a voulu savoir ce qui se passait. La terre s'est arrêtée de tourner. J'étais bien contente. Je les aimais beaucoup.

Au mois de septembre, je suis revenue voir mon copain Machin. Grâce à ses photos, j'avais réussi un bel article et ainsi sauvé pour quelque temps les cheveux du Chauve.

J'avais même eu ma photo en première page du journal régional avec Machin et, bien entendu, Sybille.

Depuis cette histoire, il s'est fait plein de copains et il n'a plus besoin de pousser les chasseurs de papillons dans l'herbe pour donner un sens à ses étés.

Comme nous étions dehors, un monarque est passé, haut dans le ciel. Direction plein sud. Je le lui ai montré.

Puis nous en avons vu passer un autre, plus haut. Le ciel était plein de monarques qui commençaient leur grand voyage de milliers de kilomètres vers le Mexique.

Je me suis rappelé ce qu'il m'avait dit :

— Si les hommes aimaient plus les insectes, il y aurait moins de problèmes sur la terre.

Ou quelque chose du genre.

Si jamais un jour il n'y avait plus de monarques pour croiser le ciel plein sud en direction du Mexique, ce serait terrible!

Horrible!

Machin s'est penché et il a ramassé une araignée dans sa main.

— Regarde comme elle est gentille.

Il avait raison. Même les araignées sont gentilles. J'ai changé d'idée, mais je n'arrive pas encore à m'endormir quand il y en a une dans la chambre.

Machin m'a amenée chez lui pour me montrer une surprise.

Sur son bureau, dans un petit terrarium, l'inimitable Sybille me regardait de ses huit jolis yeux.

Zut alors! J'avais de la compétition à huit pattes.

Tss tss.

Avec tout ça, j'ai encore oublié de lui demander son nom. Ça sera pour la prochaine fois.

Table

1. La chasse aux papillons 9

2. Un reportage au poil ! 15

3. Je ne suis pas menteuse 22

4. Deuxième rencontre 32

5. Il y a exagération 38

6. Horrible ! 45

7. Pris dans la toile 65

8. Une araignée au plafond 74

9. L'évasion 88

10. Épinglés 98

11. Sybille s'en mêle 103

12. Direction plein sud 116

DANS LA COLLECTION BORÉAL JUNIOR

1. *Corneilles* de François Gravel
2. *Robots et Robots inc.*
   de Philippe Chauveau
3. *La Dompteuse de perruche*
   de Lucie Papineau
4. *Simon-les-nuages* de Roger Cantin
5. *Zamboni* de François Gravel
6. *Le Mystère des Borgs aux oreilles vertes*
   de Marc-André Paré
7. *Une araignée sur le nez*
   de Philippe Chauveau

DANS LA COLLECTION BORÉAL INTER

1. *Le raisin devient banane*
   de Raymond Plante
2. *La Chimie entre nous* de Roger Poupart
3. *Viens-t'en, Jeff !* de Jacques Greene
4. *Trafic* de Gérald Gagnon
5. *Premier But* de Roger Poupart
6. *L'Ours de Val-David* de Gérald Gagnon
7. *Le Pégase de cristal*
   de Gilberto Flores Patiño